Franklin
i odwiedziny wydry

Na podstawie odcinka animowanej serii pt. *Witaj, Franklin*, wyprodukowanej przez Nelvana Limited, Neurones France s.a.r.l. i Neurones Luxembourg S.A., w oparciu o książki autorstwa Paulette Bourgeois i Brendy Clark.

Ścisłą adaptację książkową wersji telewizyjnej napisała Sharon Jennings, a zilustrowali Mark Koren, Alice Sinkner i Jelena Sisic.

Na podstawie odcinka telewizyjnego pt. *Franklin i odwiedziny wydry*, napisanego przez Kena Rossa.

Franklin jest znakiem zastrzeżonym Kids Can Press Ltd.

Projekt postaci Franklina: Paulette Bourgeois i Brenda Clark
Tekst © 2002 Contextr Inc.
Ilustracje © 2002 Brenda Clark Illustrator Inc.
Tłumaczenie: Patrycja Zarawska

43-300 Bielsko-Biała, ul. M. Gorkiego 20
tel. 33 810 08 20
e-mail: handlowy.debit@onet.pl
www.wydawnictwo-debit.pl

www.Franklin.pl

ISBN 978-83-7167-270-5

Franklin
i odwiedziny wydry

WYDAWNICTWO

DEBIT

FRANKLIN miał mnóstwo dobrych kolegów i najlepszego przyjaciela, misia. Miał też koleżankę wydrę, która wyprowadziła się z ich miasteczka już dość dawno temu. Franklin i wydra pisali do siebie listy, wysyłali sobie zdjęcia i kartki urodzinowe, ale nie widywali się – mały żółw nie pamiętał nawet od jak dawna.

Aż tu pewnego dnia zupełnie niespodziewanie dostał od wydry list z nowiną. Wydra przyjeżdża w odwiedziny!

Franklin od razu pośpieszył do misia.

– Nie zgadniesz! – wołał już z daleka. – Wydra przyjeżdża w odwiedziny do swojej babci!

– Hura! – ucieszył się miś.

– Pamiętasz? Kiedy mieszkała w miasteczku, często ślizgaliśmy się razem z brzegu rzeki do wody – przypomniał sobie Franklin.

– Rzeczywiście! – roześmiał się miś. – Zupełnie o tym zapomniałem. Teraz już nikt tego nie robi.

– Ha! Założę się, że wydra chętnie poślizga się z nami, tak jak dawniej! – powiedział Franklin.

W drodze do domu Franklin zatrzymał się przy stawie, żeby przekazać nowinę bobrowi.

– Pamiętasz nasze wyścigi pływackie z wydrą? – zapytał żółwik. – Założę się, że wydra znowu zechce się ścigać.

– No, nie wiem – bóbr z powątpiewaniem pokręcił głową. – Wydra jest teraz kapitanem drużyny pływackiej. Słyszałem, że w swojej grupie zdobywa medale. Myślisz, że zechce bawić się z nami? My pływamy jak amatorzy.

– Na pewno zechce – odparł z przekonaniem Franklin.

Bóbr swoim zwyczajem przewrócił oczami i zanurkował w stawie.

Franklin wrócił do domu i od razu poszedł
do swojego pokoju. Zaczął czegoś szukać w skrzyni
z zabawkami, potem przeszukał półki i szuflady, zajrzał
pod meble i do szafy. Wreszcie zawołał mamę.

– Nie wiesz, mamo, gdzie są moje klocki? – zapytał.

– Dałeś je przecież żółwince – przypomniała mama. –
Powiedziałeś, że już nie będziesz się nimi bawił.

– Tak powiedziałem? – zdziwił się Franklin. –
Ale teraz znowu ich potrzebuję. Razem z wydrą
układaliśmy z nich wielkie zamki.

I mały żółw pomaszerował
do pokoiku siostry.

Wreszcie nadszedł długo wyczekiwany dzień. Wydra przyjechała do swojej babci i miała odwiedzić starych przyjaciół. Franklin zaprosił ją na drugie śniadanie. Od samego rana nie mógł usiedzieć spokojnie. W końcu usiadł na schodach przed domem i wypatrywał wydry ponad płotem.

– No i gdzie ona jest? – powtarzał co chwila, popatrując to na drogę, to na swoje rysunki. Narysował je dawno temu, razem z wydrą, oczywiście.

Nagle... Któż to nadchodzi od furtki? Oto ona, wydra we własnej osobie!

Wydra była dobrą znajomą nie tylko Franklina, lecz także jego rodziców. Uściskała wszystkich, a oni przywitali ją bardzo serdecznie. Rodzice Franklina z zaciekawieniem pytali o jej nowy dom i o miasteczko, w którym teraz mieszka.

Franklin poszedł po przygotowaną przekąskę.

– Zrobiliśmy kanapki z wesołymi buźkami, specjalnie dla ciebie – powiedział, niosąc talerz.

– O! – zdziwiła się wydra. – Myślałam, że to dla żółwinki.

– To twoje ulubione – przypomniał jej Franklin.

Wydra roześmiała się.

– To było wieki temu! – wyjaśniła i sięgnęła po kanapkę z talerza dla dorosłych.

Franklin zmarszczył brwi i nic nie powiedział.

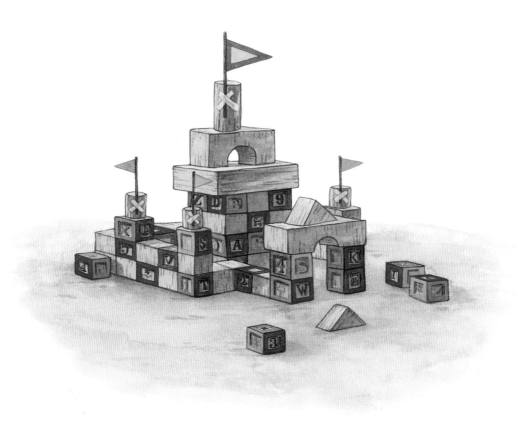

Po poczęstunku Franklin zaproponował koleżance zabawę klockami. Może ułożą coś tak jak dawniej?

– Pamiętasz, jakie wspaniałe zamki budowaliśmy
z nich razem? – zapytał.

Wydra przytaknęła i poszła z Franklinem do jego pokoju, gdzie na podłodze siedziała już żółwinka. Zgarnęła klocki
z podłogi i przytuliła je mocno do siebie.

– Moje! – powiedziała stanowczo.

– Ma rację, klocki są dla maluchów – rzekła wydra.

– Ma rację – wymamrotał niepewnie Franklin.

Franklin i wydra wyszli z domu.

– Chodzicie jeszcze nad staw? – spytała koleżanka.

– No pewnie, że chodzimy! – rozpromienił się Franklin. – Chodźmy, wszyscy tam będą!

Franklin miał rację. Kiedy dotarli nad staw, byli tam już wszyscy koledzy. I oczywiście wszyscy niecierpliwie czekali na wydrę. Bóbr od razu chciał wiedzieć, ile medali zdobyła i jakie ma rekordy w pływaniu. Franklin zaproponował, żeby ścigali się w wodzie.

– Ależ, Franklinie, wydra jest dla nas za dobra – powiedział bóbr. – Zostaniemy daleko w tyle.

Franklin jednak nie zważał na słowa bobra.

Już był w wodzie, gotowy do wyścigu. Wydra wskoczyła za nim.

– Do startu, gotowi, start! – zawołał bóbr.

Zawodnicy ruszyli. Wydra była na drugim końcu stawu, zanim Franklin zdążył wykonać trzy ruchy.

– Mówiłem ci – dogadywał mu bóbr.

Wszyscy się roześmiali, nawet Franklin.

Franklin wygramolił się ze stawu z nowym pomysłem.

– Zagrajmy w bejsbol – powiedział.

– Och, nie grałam, odkąd się przeprowadziłam – jęknęła wydra. – Nie pamiętam nawet, jak się gra.

– Nie martw się, nie będzie tak źle – zapewniał ją Franklin.

Niestety, wydra naprawdę nie umiała już grać w bejsbol. Chybiała za każdym razem, kiedy miała uderzyć kijem piłeczkę. Nie złapała też ani razu piłki, gdy ta przelatywała jej tuż nad głową.

– Nie chcę już grać – rzekła w końcu zniechęcona.

Franklin spojrzał na nią i westchnął.

Zaraz potem po wydrę przyszła jej babcia.

– Pobawisz się jutro ze mną? – spytała wydra na odchodnym.

– Pewnie tak – powiedział bez zapału Franklin.

Wydra z babcią poszła w swoją stronę, a zawiedziony Franklin samotnie poczłapał do domu.

– Hmmm – mruczał niezadowolony pod nosem. – Trudno powiedzieć, że dziś w ogóle się bawiliśmy. Czy jutro będzie tak samo?

Mały żółw w kiepskim nastroju przestąpił próg domu.

– Z wydrą nie ma już żadnej zabawy – oznajmił i opowiedział mamie, co się zdarzyło po południu.

– Oboje wydorośleliście trochę – wyjaśniła mu cierpliwie mama. – Zmieniliście się, wyrośliście z dziecinnych zabaw.

– Czy to znaczy, że nie jesteśmy już przyjaciółmi? – zapytał z niepokojem Franklin.

– Możliwe – odparła z namysłem mama. – Ale możliwe też, że znajdziecie jakiś nowy sposób na przyjaźń.

– Hm – zastanowił się Franklin.

Następnego dnia rano Franklin wcześnie zapukał do drzwi babci wydry.

– Gdybyś dalej mieszkała tu z nami – powiedział koleżance – byłby już z ciebie niezły bejsbolista. Ale nie przejmuj się – dodał – będę cię uczył i za każdym razem, jak przyjedziesz, będziesz mogła grać w mojej drużynie.

– Dobra – zgodziła się wydra. – A ja ci pokażę, co robić, żeby pływać szybciej, chcesz? Za każdym razem, kiedy przyjadę, będziemy się mogli ścigać w stawie.

– Świetnie! – ucieszył się Franklin i przyjaciele uśmiechnęli się do siebie.

Franklin i wydra cały dzień spędzili w parku i nad stawem.
Ścigali się w wodzie i wydra uczyła kolegę szybkiego pływania.
Bardzo długo ćwiczyli też podania, odbijanie piłeczki i łapanie jej
po odbiciu.

– Dziś fajnie się bawiliśmy – powiedział pod koniec dnia Franklin.

– A wczoraj miło było przypomnieć sobie, co kiedyś, dawno temu
robiliśmy razem – dodała wydra.

– Naprawdę tak myślisz? – zdziwił się mały żółw.

Wydra przytaknęła.

– Ale pamiętam jeszcze coś, o czym ty chyba zapomniałeś –
powiedziała.

Wydra wzięła Franklina za rękę i zaprowadziła go na brzeg rzeki.
– Pamiętasz? – spytała.
– Jasne, że pamiętam! – zawołał radośnie Franklin.

I przyjaciele, jak za dawnych czasów, pomknęli w dół stromego brzegu, ślizgając się prosto do wody. Plusk!